sexy
Cuisiner pour deux

Du même auteur
Simple et Chic, photos de Christian Tremblay, propos de
Robert Beauchemin
Prix Gourmand World Cookbook / français, Canada
– Meilleur livre de recettes relié à une émission de télévision

Photos
Photographe :
Christian Tremblay assisté de Pascal Witdouck

Styliste culinaire :
Marie-Ève Charron assistée de Céline Comeau

Accessoires :
3 Femmes et 1 coussin
Les fruits et légumes Can-Am

Design graphique :
Paul Toupin Design

Propos de Vanessa Quintal (pages 10, 38, 56, 72, 88, 106)

© 2009, Flammarion Québec
Tous droits réservés
ISBN 978-2-89077-369-1
Dépôt légal : 4e trimestre 2009

Cet ouvrage a été imprimé par l'imprimerie
Friesens au Manitoba, Canada.
www.flammarion.qc.ca
www.louisfrancois.ca

Catalogage avant publication de Bibliothèque
et Archives nationales du Québec et Bibliothèque
et Archives Canada

Marcotte, Louis-François
Sexy : cuisiner pour deux
(Collection Simple et chic)
Comprend un index.
ISBN 978-2-89077-369-1
1. Cuisine pour deux. I. Titre.

TX652.M37 2009   641.5'612   C2009-941741-3

sexy
Cuisiner pour deux

LOUIS-FRANÇOIS MARCOTTE

PHOTOS DE CHRISTIAN TREMBLAY

Flammarion
Québec

TABLE

INTRODUCTION DE
LOUIS-FRANÇOIS MARCOTTE

Inviter l'élue de son cœur au restaurant, c'est bien, mais lui mitonner un petit plat à la maison, c'est mille fois mieux ! Lorsque le repas est réussi, la table est mise pour la suite. Croyez-en mon expérience.

J'avais dix-neuf ans lorsque je suis parti en appartement. C'est à ce moment que j'ai découvert le pouvoir de séduction de l'homme derrière les fourneaux. Mais, comme rien n'est parfait, j'ai aussi connu des ratés…

Lors de mon premier tête-à-tête avec ma blonde, je suis arrivé chez elle, les bras chargés de sacs d'épicerie, et je lui ai préparé de succulentes boulettes de veau sauce tomate. Elle n'a presque pas touché à son assiette, me confiant ne pas avoir très faim… Je ne pouvais que la comprendre : moi aussi, j'avais l'estomac noué. Ce n'est que bien plus tard qu'elle m'avoua détester la viande hachée ! Toutefois, elle avait admiré mon audace de m'être mis, sans délai, aux fourneaux. Elle était (presque) déjà conquise !

Vous tenez entre vos mains ce que j'espère être un livre de cuisine de la vie à deux. Je souhaite que les couples, nouveaux ou anciens, prennent plaisir à préparer ensemble des plats en accord avec les rythmes naturels de leurs cœurs. Que ce soit lors d'un premier rendez-vous, pour briser la routine ou encore mettre du piquant dans la boîte à lunch de sa douce moitié, mon mot d'ordre reste le même : la simplicité. Toutes les recettes présentées en sont la preuve. Simples, chic et rapides, elles s'apprêtent même les soirs de semaine. Mais qu'on ne s'y trompe pas, elles produisent toujours un effet bœuf…

Après tout, la vie amoureuse n'est-elle pas à l'image de la vie culinaire : toujours mieux sur canapé…

PREMIER
RENDEZ-VOUS

PREMIER RENDEZ-VOUS

Ah ! les affres du premier rendez-vous ! La fébrilité, les papillons dans l'estomac, les attentes les plus élevées, les rêves les plus fous. Qu'il s'agisse d'un blind date en tête-à-tête ou organisé avec des amis, qu'il soit planifié depuis plusieurs semaines ou décidé depuis la veille, ce doux rendez-vous se déroule bien souvent autour d'un bon repas. Les narines palpitent, les papilles s'exaltent, les saveurs explosent et le vin réchauffe. Voilà de quoi détendre l'atmosphère ! Si le palais est conquis, le reste viendra tout seul…

PREMIER
RENDEZ-VOUS

Toutefois, pas facile de cuisiner des merveilles, la tête en transit vers les nuages et le cœur en bataille. Heureusement, Louis-François a pensé à nous, amoureux en devenir, en nous proposant de concocter des plats non seulement exquis, mais également prêts en un clin d'œil. Dans plusieurs des cas, ces recettes se préparent à l'avance, à l'abri de la nervosité. Ainsi, il n'y a plus qu'à monter les assiettes à la dernière minute et le tour est joué ! Enfin, pas tout à fait. À partir de là, ce sera à vous de jouer !

C'EST UNE RECETTE PARFAITE POUR PALLIER
L'INSÉCURITÉ D'UN PREMIER RENDEZ-VOUS
PUISQUE TOUT PEUT ÊTRE PRÉPARÉ À L'AVANCE.
IL NE RESTE PLUS QU'À POÊLER LES PÉTONCLES ET
À MONTER L'ASSIETTE SOUS DES YEUX ÉBAHIS.

Potage de chou-fleur, pickle de champignons et pétoncles rôtis — 2 personnes —

½ blanc de poireau émincé

2 c. à soupe de beurre

1 gousse d'ail hachée

375 ml (1 ½ tasse) de
chou-fleur en petits
bouquets

375 ml (1 ½ tasse) de
bouillon de poulet

125 ml (½ tasse)
de crème 15 %

Ciboulette ciselée
(facultatif)

Sel et poivre du moulin

———

Accompagnement
Pickle de champignons
(p. 15)

Pétoncles rôtis
(p. 15)

Dans une casserole, faites revenir à feu doux le poireau dans le beurre avec l'ail jusqu'à ce qu'ils soient attendris. ∞ Ajoutez le chou-fleur et mouillez avec le bouillon. Faites cuire à feu doux et à découvert pendant 30 minutes. ∞ Rectifiez l'assaisonnement et incorporez la crème. À l'aide du mélangeur à main, broyez pour obtenir une crème homogène. Gardez au chaud jusqu'au service.

Le montage
Versez une louche du potage dans chaque assiette creuse, déposez au centre une bonne cuillerée de pickle de champignons, ajoutez un pétoncle et garnissez, si désiré, de ciboulette.

Pickle de champignons

375 ml (1 ½ tasse) de champignons émincés (portobellos, shiitake, champignons de Paris, pleurotes)

125 ml (½ tasse) d'huile d'olive

3 c. à soupe de vinaigre balsamique

Sel et poivre du moulin

Dans une poêle très chaude, faites rôtir les champignons avec 2 c. à soupe d'huile. ∞ Lorsqu'ils ont atteint une belle coloration, déglacez avec le vinaigre balsamique. Ajoutez le reste de l'huile et arrêtez la cuisson. ∞ Assaisonnez et laissez mariner au moins 30 minutes.

Pétoncles rôtis

2 gros pétoncles

1 c. à soupe d'huile d'olive

1 noisette de beurre

Sel et poivre du moulin

Pour retirer le muscle du pétoncle qui pourrait être coriace sous la dent, coupez la petite excroissance blanche sur le côté du mollusque. ∞ Déposez les pétoncles sur un essuie-tout pour éliminer un maximum d'eau. (Vous ferez ainsi rôtir la chair plutôt que de la faire bouillir.) Salez et poivrez généreusement les pétoncles de chaque côté. ∞ Dans une petite poêle, faites chauffer l'huile et le beurre jusqu'à ce que ce dernier devienne couleur noisette. À feu vif, faites cuire de 2 à 3 minutes les pétoncles et retournez-les. ∞ Éteignez le feu et laissez poursuivre la cuisson 1 minute. Déposez-les sur un essuie-tout pour que le surplus de gras soit absorbé.

CETTE RECETTE N'ACCEPTE PAS LES COMPROMIS, TOUS
LES INGRÉDIENTS DOIVENT ÊTRE DE GRANDE QUALITÉ.
SURTOUT, PAS DE GOBERGE ! POUR MOI, C'EST UN MÉLANGE
DES PLUS SEXY : LES COULEURS ET LES TEXTURES
S'HARMONISENT À LA DÉLICATE TRANSPARENCE DU VERRE.

Verrine de crabe, avocat et pamplemousse à l'huile vanillée — 4 personnes —

Huile vanillée

½ **gousse de vanille coupée en 2**

4 **c. à soupe d'huile d'olive**

Grattez l'intérieur de chaque demi-gousse de vanille pour en extraire les graines que vous mettrez avec l'huile dans une petite casserole. ∞ Faites chauffer doucement quelques minutes puis laissez refroidir. Versez dans un bocal hermétique. ∞ Cette huile se conserve quelques semaines sans problème. Il est même préférable de la faire quelques jours à l'avance, car elle gagne en saveur.

N. B. Quelques gouttes d'huile vanillée peuvent rehausser le goût d'un poisson blanc, d'un légume vapeur ou même de belles fraises en saison.

Guacamole

1 **avocat bien mûr**

½ **c. à thé de piment oiseau haché finement ou Tabasco, au goût**

2 **c. à soupe de jus de pamplemousse**

2 **c. à soupe de coriandre ciselée**

Sel et poivre du moulin

Coupez l'avocat en 2 et retirez la chair. ∞ Avec une fourchette, écrasez-la et ajoutez le piment, une giclée de jus de pample-mousse et autant de coriandre que vous le désirez. Salez et poivrez. ∞ Réservez.

19 >>

Salsa de pamplemousse et tomate

½ **pamplemousse rose pelé à vif**

1 tomate épépinée, en dés

1 oignon vert ciselé

2 c. à soupe de coriandre ciselée

Sel et poivre du moulin

Retirez les suprêmes du pamplemousse et coupez-les en petits dés. ∞ Mélangez avec le reste des ingrédients.

Montage des verrines

120 g (4 oz) de chair de crabe émiettée

2 c. à soupe d'huile vanillée (p. 16)

Sel et poivre du moulin

Mélangez le crabe et l'huile vanillée. Assaisonnez. ∞ Couvrez le fond de 4 verres ou verrines avec le guacamole. Disposez par-dessus le crabe et ensuite la salsa de pamplemousse et tomate. ∞ Arrosez d'un filet d'huile vanillée avant de servir.

JE SUIS ALLERGIQUE AU HOMARD, MAIS MA BLONDE EN RAFFOLE.
CETTE BASE DE SALADE, SAVOUREUSE AVEC LE HOMARD, PEUT AUSSI
BIEN SE MARIER À UN POULET GRILLÉ. TOUTEFOIS, LE HOMARD EST
VIVEMENT CONSEILLÉ POUR BRISER LA TIMIDITÉ D'UN PREMIER
SOUPER : ÇA CRAQUE, ÇA COULE ET ON EN A PARTOUT.

Salade de homard, haricots verts et fenouil — 2 personnes —

250 ml (1 tasse) de haricots verts

2 clémentines pelées à vif, en rondelles

1 petit bulbe de fenouil émincé finement

1 échalote française ciselée

3 c. à soupe d'huile d'olive

Jus de 1 clémentine

1 c. à soupe d'estragon

1 homard cuit de 700 g (1 ½ lb) décortiqué

Mayo à l'huile d'olive et clémentine (ci-dessous)

Quelques pluches de fenouil

Sel et poivre du moulin

Dans une casserole, faites cuire les haricots verts 5 minutes dans une eau bouillante salée. Égouttez-les et plongez-les dans une eau glacée pour conserver la couleur vive du légume. ☙ Avec vos doigts, séparez chaque haricot en deux en suivant la ligne naturelle. (Cette opération se fait très facilement.) ☙ Mettez-les dans un saladier avec la clémentine, le fenouil et l'échalote. Ajoutez l'huile, le jus de clémentine, l'estragon et mélangez. Salez et poivrez. ☙ Coupez en morceaux la queue et les coudes du homard (mettez de côté les 2 pinces pour la garniture). Dans un saladier, mélangez 4 c. à soupe de mayonnaise et les morceaux de homard. ☙ Dressez les assiettes en débutant par les légumes et déposez le homard sur le dessus, en terminant par les pinces et quelques pluches de fenouil.

Mayo à l'huile d'olive et clémentine

1 œuf (jaune seulement)

1 c. à thé de moutarde de Dijon

125 ml (½ tasse) d'huile d'olive

Zeste de 1 clémentine

1-2 c. à soupe de jus de clémentine

Piment d'Espelette, au goût

Sel

Pour la préparer, vous pouvez utiliser le mélangeur à main ou un grand fouet. Dans un saladier, fouettez énergiquement l'œuf et la moutarde. Versez l'huile graduellement en un long filet mince sans arrêter de fouetter vigoureusement. ☙ Lorsque cette étape est terminée et que la mayonnaise est bien prise, ajoutez le reste des ingrédients et mélangez.

LA CUISSON DE CE PLAT DÉGAGE UNE ODEUR
ABSOLUMENT ENVOÛTANTE DE PARMESAN ET DE
CITRON. DE QUOI METTRE L'EAU À LA BOUCHE
DÈS LE PAS DE LA PORTE.

Carré d'agneau, croûte de parmesan et citron — 2 personnes —

1 carré d'agneau du Québec* de 6 côtes paré

3 c. à soupe d'huile d'olive

1 noisette de beurre

1 c. à soupe de moutarde de Dijon

4 c. à soupe de chapelure nature

4 c. à soupe de parmesan fraîchement râpé

Zeste de 2 citrons

4 c. à soupe de persil haché

Sel et poivre du moulin

* ou de la Nouvelle-Zélande, qui produit une viande au goût plus prononcé.

Préchauffez le four à 220 °C (425 °F). ∾ Retirez une couche de gras sur la viande. Salez et poivrez généreusement la chair. ∾ Dans une grande poêle, faites fondre le beurre dans une cuillerée d'huile et faites saisir uniformément la viande à feu vif. Retirez la pièce de viande et badigeonnez-la de moutarde de Dijon. ∾ Dans un bol, mélangez la chapelure, le parmesan, le zeste, le persil et du poivre. Enrobez le carré de cette préparation en pressant légèrement pour mieux la faire adhérer. ∾ Remettez le carré dans la poêle et enfournez 5 minutes (au besoin, couvrir la poignée de papier d'aluminium pour l'empêcher de brûler). ∾ Au terme de ce temps, arrosez la chapelure avec le reste de l'huile d'olive et poursuivez la cuisson 5 autres minutes. ∾ Sortez du four et recouvrez de papier d'aluminium pour laisser reposer la viande 5-6 minutes (ce qui permet d'obtenir une cuisson plus uniforme). ∾ Au moment de servir, coupez les côtes entre les os.

Servir
Accompagnez ce carré d'agneau de polenta crémeuse aux champignons savoureux (p. 24) et/ou d'une salade de haricots verts et de carottes (p. 25) ou si vous préférez, d'une poêlée de champignons variés arrosés d'un vieux vinaigre balsamique ou encore de pommes de terre rissolées (p. 63).

UN PLAT D'ACCOMPAGNEMENT ONCTUEUX
ET GOÛTEUX À SOUHAIT QUI RÉCHAUFFE PAR UNE
FROIDE SOIRÉE D'HIVER. QUOI DE PLUS COCHON
QUE CE GOÛT AMPLE DE BEURRE ET DE PARMESAN
QUI FOND DANS LA BOUCHE ?

Polenta crémeuse aux champignons savoureux — 2 personnes —

Polenta crémeuse

250 ml (1 tasse) de lait

2 c. à soupe de beurre

80 ml (⅓ tasse) de semoule de maïs fine (n° 400)

250 ml (1 tasse) de parmesan frais râpé

Champignons savoureux (ci-dessous)

Sel et poivre du moulin

Dans une casserole, faites chauffer le lait et le beurre. ☙ Versez la semoule de maïs en pluie sur le lait frémissant, en prenant soin de brasser constamment à l'aide d'une cuillère en bois. ☙ Baissez le feu à très doux et, sans cesser de remuer, cuisez une dizaine de minutes. ☙ Incorporez le parmesan, ajoutez les champignons et rectifiez l'assaisonnement.

Champignons savoureux

375 ml (1 ½ tasse) de champignons variés (café, shiitake, pleurotes, chanterelles)

2 c. à soupe d'huile d'olive

2 c. à soupe de beurre

1 gousse d'ail hachée finement

Sel et poivre du moulin

Essuyez avec un linge propre les champignons afin de retirer un maximum d'impuretés. Il est déconseillé de les passer sous l'eau, car ils sont très poreux et se gorgent d'eau. Émincez-les finement. ☙ Dans une poêle très chaude, avec l'huile d'olive et le beurre, faites sauter les champignons sans les remuer au début. (Le truc pour obtenir une belle coloration est de ne pas les brasser trop souvent.) Salez et poivrez. ☙ Ajoutez l'ail à la dernière minute.

D'INSPIRATION ESPAGNOLE, CETTE SALADE
D'ÉTÉ FERA ÉCHO À LA FRAÎCHEUR D'UN PREMIER
RENDEZ-VOUS. ON PEUT AUSSI Y AJOUTER DES
MORCEAUX DE POISSON OU ENCORE DES CUBES
DE FETA POUR EN FAIRE UNE SALADE-REPAS.

Salade de haricots verts et de carottes — 2 personnes —

375 ml (1 ½ tasse) de haricots verts

4 petites carottes en fines lamelles

1 c. à thé de vinaigre de Xérès

1 c. à thé de tamari

80 ml (⅓ tasse) d'huile d'olive

1 échalote française hachée

2 branches d'estragon effeuillées, hachées

Sel et poivre du moulin

Dans une casserole d'eau bouillante salée, faites cuire de 5 à 8 minutes les haricots verts jusqu'à ce qu'ils soient tendres mais encore croquants. Égouttez les haricots verts et plongez-les dans un bol d'eau glacée pour arrêter la cuisson et conserver une belle couleur vive. ☙ Asséchez les haricots verts et mélangez-les avec les carottes dans un saladier. ☙ Préparez la sauce en fouettant ensemble le vinaigre, le tamari, l'huile d'olive et l'échalote. ☙ Versez la sauce sur les légumes, rectifiez l'assaisonnement et parsemez l'estragon.

N. B. Préparez cette salade au minimum 15 minutes avant le moment de servir, elle n'en sera que meilleure !

C'EST TONY DE ROSE, UN CHEF ITALIEN, QUI M'A
APPRIS LA RECETTE DE BASE DES GNOCCHIS, ET
MAINTENANT J'EN FAIS UNE VERSION ULTRA-SIMPLE
SANS POMME DE TERRE. AVEC UN TRAIT DE
VINAIGRE BALSAMIQUE ÂGÉ, ON S'ASSURE D'UNE
BELLE FINALE, DANS L'ASSIETTE OU AILLEURS...

Gnocchis à la ricotta, roquette et citron — 2 personnes —

3 c. à soupe d'huile d'olive

1 c. à soupe de beurre

Gnocchis cuits (p. 29)

4-5 c. à soupe de parmesan fraîchement râpé

Zeste de 1 citron

250 ml (1 tasse) de petite roquette

Sel et poivre du moulin

Garniture

Un filet d'huile d'olive

4 c. à soupe de ricotta

Dans un grand poêlon, faites chauffer l'huile et le beurre, à feu modéré, et lorsque ce dernier change légèrement de couleur, ajoutez les gnocchis. Faites-les dorer à feu vif pour les rendre croustillants. ∞ Parsemez le parmesan et le zeste de citron. Arrêtez la cuisson, rectifiez l'assaisonnement et ajoutez la roquette. ∞ Disposez les gnocchis dans les assiettes, arrosez d'un filet d'huile d'olive et garnissez d'un peu de ricotta. Servez immédiatement.

29 >>

Pâte à gnocchis

125 ml (½ tasse) de ricotta

1 œuf

½ gousse d'ail

Zeste de 1 citron

375 ml (1 ½ tasse) de petite roquette

3 c. à soupe de parmesan fraîchement râpé

2 c. à soupe d'huile d'olive

375 ml (1 ½ tasse) de farine

Sel et poivre du moulin

Mettez tous les ingrédients, à l'exception de la farine, dans le récipient d'un robot culinaire. Actionnez par touches successives jusqu'à l'obtention d'une texture lisse et homogène. ✑ Ajoutez la farine et mélangez rapidement. ✑ Farinez généreusement le plan de travail avant d'y déposer la pâte. Façonnez une petite boule (grosseur d'une bille) et aplatissez-la légèrement avec le bout du doigt. ✑ Lorsque les gnocchis sont tous confectionnés, faites-les cuire rapidement dans une eau bouillante salée. Ils sont prêts lorsqu'ils flottent à la surface de l'eau de cuisson. Égouttez et réservez.

N. B. Les gnocchis peuvent être façonnés à l'avance, mais ne les faites cuire qu'à la toute dernière minute. Farinez généreusement le plan de travail et conservez-les dans la farine jusqu'au moment de les cuire, sans quoi ils risquent de coller les uns aux autres !

C'EST UN CLASSIQUE QU'ON AURAIT INTÉRÊT
À FAIRE PLUS SOUVENT. D'AUTANT QUE CETTE
RECETTE EST D'UNE GRANDE SIMPLICITÉ, MÊME
EXÉCUTÉE LA PREMIÈRE FOIS.

Profiteroles, sauce au chocolat — 30 profiteroles —

Pâte à choux

250 ml (1 tasse) d'eau

**125 ml (½ tasse) de beurre
non salé**

½ c. à thé de sel

**1 c. à soupe de sucre
(facultatif)**

250 ml (1 tasse) de farine

4 œufs entiers

**250 ml (1 tasse) de glace
vanille maison ou du
commerce**

———

Accompagnement
**Sauce au chocolat
(p. 33)**

La pâte à choux

Préchauffez le four à 200 °C (400 °F). ☙ Dans une casserole, faites chauffer l'eau, le beurre, le sel et le sucre jusqu'à ce que le beurre soit fondu. ☙ Versez d'un seul coup la farine et, à feu doux, brassez énergiquement avec une cuillère en bois jusqu'à ce que la pâte se détache des parois de la casserole. Poursuivez 1-2 minutes de plus afin d'assécher la pâte. ☙ Retirez la casserole du feu et ajoutez un à un les œufs en mélangeant à l'aide d'un batteur électrique. La pâte se séparera un peu au début puis deviendra homogène et légèrement brillante. ☙ Versez la pâte dans une poche à douille. Sur une plaque à cuisson couverte de papier parchemin, formez environ 30 petits choux de la grosseur d'une grosse bille, en laissant un espace entre chacun. ☙ Enfournez et cuisez environ 20 minutes. Retirez du four et percez un trou dans chacun des choux à l'aide d'un petit couteau pointu. ☙ Éteignez le four et remettez les plaques. Ceci permettra de sécher l'intérieur des choux. Il faudra compter entre 30 minutes et 2 heures selon la chaleur résiduelle du four. ☙ Une fois bien secs et refroidis, coupez en deux le nombre de choux désiré et farcissez-les de glace vanille. Réservez les autres profiteroles dans un contenant hermétique au congélateur. ☙ Servir nappés de sauce au chocolat.

N. B. Si vous n'avez pas de poche à douille, utilisez 2 cuillères à soupe : remplissez bien une cuillère et faites glisser la pâte sur les plaques à l'aide de l'autre cuillère. Ou encore, tout simplement, prenez un sac Ziplock dont vous aurez coupé un des coins.

33 >>

Sauce au chocolat

3 c. à soupe d'eau

5 c. à soupe de sucre

2 c. à soupe de beurre

2 c. à soupe de crème 35 %

125 ml (½ tasse) de pastilles
de chocolat noir 70 %

Dans une petite casserole, versez l'eau et le sucre. À feu modéré, faites chauffer jusqu'à ce que le sucre soit dissous. ☞ Ajoutez le beurre, la crème et poursuivez la cuisson 1 minute. ☞ Mettez les pastilles de chocolat dans un bol et ajoutez la préparation chaude. Fouettez jusqu'à ce que le chocolat soit fondu. ☞ Vous pourrez conserver cette sauce au réfrigérateur quelques jours. Chauffez-la un peu avant de la servir avec les profiteroles.

Variantes
Pour aromatiser la sauce au chocolat, vous pourriez faire infuser dans le sirop (eau, sucre) du poivre, du piment d'Espelette, du thé ou des épices (cardamome, anis étoilé, coriandre…) une quinzaine de minutes. Filtrez le sirop avant d'ajouter le beurre et la crème.

CE DESSERT MINUTE M'A ÉTÉ INSPIRÉ PAR ÉLYSE
LAMBERT, MA SOMMELIÈRE. ELLE M'A UN JOUR
SERVI UNE GLACE NAPPÉE D'UN SIROP QU'ELLE
CONCOCTE À PARTIR DE FONDS DE BOUTEILLES
DE VIN ROUGE. SIMPLE ET DIABLEMENT EFFICACE.

Glace vanille, compotée de framboises au vin rouge — 2 personnes —

180 ml (¾ tasse) de framboises fraîches ou congelées

6 c. à soupe de miel

125 ml (½ tasse) de vin rouge

250 ml (1 tasse) de glace vanille de bonne qualité

4 biscuits Graham grossièrement émiettés

Fleur de sel

Dans une casserole antiadhésive, faites revenir rapidement (1 minute) les framboises. Ajoutez le miel et le vin et poursuivez la cuisson, à feu modéré, 5 minutes. Retirez du feu et laissez tiédir. ☙ Dix minutes avant le service, sortez la glace vanille et déposez-la au réfrigérateur. La glace dégage un maximum de saveur lorsqu'elle atteint 0 °C (32 °F). ☙ Déposez deux boules de glace dans un verre, arrosez de compotée de framboises et parsemez de miettes de biscuits. Une touche de fleur de sel relèvera les parfums.

Truc
Gardez vos fonds de bouteille de vin rouge (au réfrigérateur) et lorsque vous avez 750 ml (3 tasses), faites réduire de moitié à feu modéré-vif. Ajoutez 125 ml (½ tasse) de sucre et poursuivre la cuisson à feu modéré jusqu'à consistance de sirop. Utilisez le sirop directement sur une glace, ou à l'apéro, préparez un kir avec du vin blanc ou des bulles.

CE SOIR, ON SCORE
(OU AUTRE ACTIVITÉ SPORTIVE)

CE SOIR, ON SCORE
(OU AUTRE ACTIVITÉ SPORTIVE)

Des bulles qui montent à la tête, un tartare soyeux et sensuel, un plat pour deux où les mains se frôlent et un dessert des plus cochons. Voilà de quoi prouver qu'il existe sans conteste un lien entre la table et le lit. Entre les deux, il n'y a qu'une bouchée et un petit pas que Louis-François nous invite à franchir langoureusement. Sa cuisine est faite non seulement d'ingrédients simples et de première qualité, mais aussi et surtout d'idées originales qui sauront séduire

CE SOIR, ON SCORE
(OU AUTRE ACTIVITÉ SPORTIVE)

toutes les bouches. Quoi de plus banal qu'un hamburger? Cependant, celui pensé par notre chef est tout à fait coquin. Petit comme un baiser furtif et frais d'une pointe de menthe, il s'avale ni vu ni connu, laissant les mains assez blanches pour défaire un vêtement… Il faut, par ailleurs, savoir charmer le palais de l'être convoité sans alourdir son estomac. Nous ne voulons surtout pas que notre convive s'endorme avant que la partie commence…

MA BLONDE ADORE LES BULLES.
VOICI UNE FAÇON ORIGINALE D'Y AJOUTER
UNE TWIST SEXY.

Apéro surprise, façon daïquiri — 6 verres —

1 sachet de gélatine
sans saveur

2 c. à soupe d'eau froide

1 sachet de Jell-O en poudre
à la fraise

250 ml (1 tasse)
d'eau chaude

125 ml (½ tasse)
de rhum brun

125 ml (½ tasse) de soda
au gingembre (Ginger Ale)

6 fraises coupées en 2

1 bouteille de champagne
ou de vin mousseux

Dans une tasse, faites gonfler la gélatine dans l'eau froide quelques minutes. ∞ Dans un bol, délayez la poudre à la fraise dans l'eau chaude. Ajoutez-y la gélatine gonflée, le rhum, le soda au gingembre et mélangez. Versez dans un plat carré de 15 cm (6 po) jusqu'à 2 cm (¾ po) de hauteur. ∞ Placez au réfrigérateur au moins 2 heures. Lorsque la gelée est bien prise, détaillez-la en dés. ∞ Dans une flûte à champagne, déposez deux demi-fraises, quelques dés de gelée à la fraise et versez le champagne.

N. B. La gelée peut se préparer la veille sans problème.

CE PLAT PEUT TRÈS BIEN SE FAIRE EN JASANT
AUTOUR DU COMPTOIR, UN VERRE À LA MAIN. IL N'Y
A PAS DE CUISSON, C'EST SIMPLE, RAPIDE, FRAIS ET
LÉGER AVEC JUSTE CE QU'IL FAUT DE PIQUANT.

Tartare de thon, salade d'asperges et d'épinards — 2 personnes —

**120 g (¼ lb) de thon
rouge frais**

2 c. à soupe de mayonnaise

2 c. à soupe de tamari

1 c. à soupe d'huile d'olive

Wasabi, au goût

**3 c. à soupe de ciboulette
hachée finement**

Sel et poivre du moulin

———

Accompagnement
**Salade d'asperges
et d'épinards
(p. 45)**

Coupez le thon en petits dés. Réservez au réfrigérateur. ∞ Dans un saladier, mélangez la mayonnaise, le tamari, l'huile et le wasabi. ∞ Quelques minutes avant de servir, incorporez le thon et la ciboulette à la sauce. Rectifiez l'assaisonnement. ∞ Montez les tartares dans chaque assiette à l'aide d'un emporte-pièce.

N. B. Ne laissez jamais un poisson (ou une viande) qui sera consommé cru longtemps à la température ambiante, et surtout, ne réutilisez pas la planche à découper et les ustensiles sans les laver.

45 >>

Salade d'asperges et d'épinards

4-5 asperges vertes

1 filet d'huile d'olive

1 c. à soupe de tamari

Jus de 1 lime

**250 ml (1 tasse)
de jeunes épinards**

Sel et poivre du moulin

À l'aide d'un économe ou d'un épluche-légumes, coupez les asperges en longs rubans fins. ∞ Dans un saladier, mélangez tous les ingrédients à l'exception des épinards. Laissez mariner au moins 5 minutes. ∞ Au moment de servir, ajoutez les épinards et rectifiez l'assaisonnement.

ÇA, C'EST UNE VALEUR SÛRE, PEU IMPORTE
LES GOÛTS CULINAIRES DE VOTRE CONVIVE.
ET PUIS, VOUS N'AUREZ PAS À ESSUYER LES DÉGÂTS
DES COUDES AU MENTON.

Mini-burgers d'agneau à la menthe — 4 à 6 personnes —

500 g (1 lb) d'agneau haché

2 c. à soupe de moutarde de Dijon

1 œuf

1 petit oignon haché finement

4 c. à soupe de menthe hachée

Huile et beurre pour la cuisson

12 mini-pains focaccia ou à salade

500 ml (2 tasses) de petite roquette

Sel et poivre du moulin

Sauce épicée

4 c. à soupe de mayonnaise

4 c. à soupe de crème sure

Sambal Oelek ou Tabasco, au goût

3 c. à soupe de ciboulette ciselée

Sel et poivre du moulin

Préchauffez le four à 190 °C (375 °F). ∞ Dans un saladier, mélangez l'agneau, la moutarde, l'œuf, l'oignon et la menthe. Salez et poivrez généreusement. (Pour vérifier l'assaisonnement, vous pouvez faire cuire au micro-ondes deux cuillerées de la farce.) ∞ Façonnez 12 boulettes de 5 cm (2 po) de diamètre. Dans une poêle avec un peu d'huile, faites dorer uniformément, à feu modéré, les boulettes et poursuivez la cuisson au four 5-6 minutes. ∞ Pendant ce temps, mélangez les ingrédients de la sauce dans un bol. ∞ Préparez les pains en les taillant, si nécessaire, à l'aide d'un emporte-pièce de 5 cm (2 po) de diamètre. Coupez-les ensuite en deux pour obtenir vos mini-pains hamburgers. Dans une poêle, faites-les dorer légèrement dans un peu de beurre pour les rendre croustillants. ∞ Déposez les boulettes sur un essuie-tout pour éliminer le surplus de gras et montez les burgers avec la roquette et la sauce épicée.

Variante
Confectionnez 4 à 6 grosses boulettes que vous ferez cuire au barbecue et que vous accompagnerez d'une belle salade.

J'AIME BEAUCOUP LES PLATS POUR DEUX.
IL SUFFIT DE METTRE L'ASSIETTE AU CENTRE,
DE PIGER DEDANS ET DÉJÀ, ON A LE SENTIMENT
DE PARTAGER QUELQUE CHOSE. POUR MOI,
C'EST TRÈS ROMANTIQUE.

Mignon pour deux, chimichurri et orge tomatée-citronnée — 2 personnes —

360 g (¾ lb) de filet mignon de bœuf

3 c. à soupe d'huile d'olive

3 c. à soupe de gros sel

Poivre du moulin

⁂

Accompagnement
Chimichurri (ci-dessous)

**Orge tomatée-citronnée
(p. 51)**

Préchauffez un côté du barbecue à intensité maximum et l'autre à intensité moyenne. ☙ Badigeonnez le filet de bœuf d'huile d'olive et parsemez-le de gros sel. Poivrez. ☙ Faites saisir chaque côté de la viande quelques minutes sur les grilles très chaudes. Poursuivez ensuite la cuisson de la pièce de 10 à 12 minutes du côté moins chaud. ☙ Retirez et enveloppez dans un papier aluminium pour faire reposer la viande 10 minutes. ☙ Au moment de servir, tranchez la pièce en deux parties égales… à moins que votre faim ne soit, elle, pas égale ! Servir accompagné de la sauce chimichurri et d'une généreuse portion d'orge tomatée-citronnée.

Chimichurri

125 ml (½ tasse)
de persil italien

1 branche d'estragon

7-8 feuilles de menthe

½ gousse d'ail hachée

125 ml (½ tasse)
d'huile d'olive

Sel et poivre du moulin

Hachez grossièrement les herbes fraîches. ☙ Dans un petit saladier, mélangez tous les ingrédients et réservez.

51 >>

Orge tomatée-citronnée

80 ml (⅓ tasse) d'orge perlé

**12 tomates cerises
en grappe**

**½ citron confit*, l'écorce
seulement, en dés,
ou jus de ½ citron**

3 c. à soupe d'huile d'olive

**2 c. à soupe
de ciboulette ciselée**

Sel et poivre du moulin

---

* Se trouve en bocal dans les
épiceries moyen-orientales.

Mettez l'orge perlé dans une grande casserole d'eau froide et portez à ébullition. Faites cuire jusqu'à tendreté, environ 25 minutes. Égouttez et réservez. ✆ Préchauffez le barbecue à intensité élevée et déposez-y la grappe de tomates cerises ou mettez-les sur une plaque à trous. Retirez-les lorsqu'elles sont bien colorées et ramollies. ✆ Dans un saladier, réunissez l'orge, les tomates et le reste des ingrédients. Rectifiez l'assaisonnement et réservez jusqu'au service.

N. B. Cette salade est d'une grande polyvalence. On peut la servir chaude, froide ou tiède (selon votre tempérament) ou encore remplacer l'orge par du riz ou du couscous. Si vous n'avez pas de citron confit, du jus de citron fera aussi bien l'affaire.

MALADE MENTAL. RIEN À DIRE DE PLUS.

Confiture de lait
(dulce de leche)

**1 boîte de lait
condensé sucré**

Retirez l'étiquette de la conserve et immergez-la complètement dans une casserole remplie d'eau. Faites mijoter, à feu doux, pendant 2 heures en vérifiant régulièrement le niveau d'eau. ∞ Arrêtez le feu et attendez une quinzaine de minutes avant de retirer délicatement la conserve de l'eau. Laissez refroidir 1 heure avant d'ouvrir la conserve. ∞ Vous obtiendrez une belle confiture de lait de couleur caramel. Vous pourrez conserver ce délice dans un bocal hermétique, au réfrigérateur, quelques semaines, si vous en êtes capable !

Servir
– sur du pain grillé ou sur des crêpes
– sur de la glace vanille avec un soupçon de fleur de sel
– comme glaçage sur un gâteau
– en trempette avec des quartiers de pomme, de poire…

PETIT-DÉJEUNER DU LENDEMAIN

PETIT-DÉJEUNER
DU LENDEMAIN

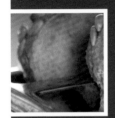

Quoi de mieux, après une nuit agitée, que d'être doucement réveillé par les alléchants effluves de pâte à crêpe dans la poêle, d'œufs onctueux et de pommes de terre dorées à point ? Des sourires complices s'échangent alors au-dessus des tasses de café brûlant. Le temps s'étire de tout son long comme le chat qui se roule sur le tapis. On ne sait plus trop si la journée commence ou si elle s'achève. Afin de

PETIT-DÉJEUNER DU LENDEMAIN

prolonger les bonnes choses au maximum, nous reprenons encore des pancakes, sorte de petits matelas gustatifs aux draps de yogourt et aux fruits bordés de sucre, que l'on souhaiterait sans fin. Et puis, encore un peu de cette salade revigorante, mêlant la douceur de la fraise à l'acidité de la tomate. Tout ça donne des forces et des idées. Et si l'on recommençait la soirée d'hier ? Simple, il suffit pour cela d'ouvrir le livre de Louis-François.

ICI, NOUS JOUONS LE TOUT POUR LE TOUT.
CE DÉJEUNER HAUT DE GAMME RÉVEILLERA
LES SENS DE CEUX QUI SE LÈVENT TARD
ET ONT TOUT LEUR TEMPS.

Carpaccio de saumon fumé, pommes de terre grelots, œufs au plat — 2 personnes —

2 œufs cuits au plat

4 tranches de saumon fumé

1 filet d'huile d'olive

Sel et poivre du moulin

Accompagnement
**Grelots en vinaigrette
(ci-dessous)**

Préparez les œufs au plat, selon votre goût. ∞ Au fond de chaque assiette, disposez 2 tranches de saumon fumé, salez, poivrez et arrosez d'un filet d'huile d'olive. ∞ Placez à côté la salade de grelots et déposez l'œuf par-dessus.

Grelots en vinaigrette

10 pommes de terre grelots
rouges coupées en 2

4 c. à soupe d'huile d'olive

4 tranches de pancetta
cuites, grossièrement
émiettées

1 oignon vert émincé

5 c. à soupe de crème sure

2 c. à soupe de moutarde
à l'ancienne

2 branches d'aneth hachées

3 c. à soupe de ciboulette
en tronçons

Sel et poivre du moulin

Dans un saladier, enrobez les demi-grelots avec 2 c. à soupe d'huile d'olive. ∞ Dans une grande poêle, faites-les rôtir, à feu moyen, de 15 à 20 minutes jusqu'à ce qu'ils soient bien dorés et que la pointe d'un couteau transperce facilement la chair. Laissez tiédir. ∞ Ajoutez le reste de l'huile d'olive et les autres ingrédients, à l'exception des herbes fraîches qui ne seront ajoutées qu'à la toute dernière minute avant de servir. Salez et poivrez.

N.B. Pour rendre votre pancetta ultracroustillante, mettez-la entre deux essuie-tout et faites cuire 2 minutes au micro-ondes.

VOICI ENFIN LA TECHNIQUE POUR FAIRE DES
ŒUFS BROUILLÉS PARFAITS ET DES PATATES
RÉELLEMENT RISSOLÉES. PRENEZ DES NOTES, VOUS
DEVIENDREZ DES MAÎTRES DANS L'ART.

Brouillade, bacon et pommes de terre rissolées — 2 personnes —

Brouillade

6 œufs

125 ml (½ tasse) de crème 35 %

2 c. à soupe de ciboulette ciselée (facultatif)

Sel et poivre du moulin

Bacon

2 tranches de bacon épaisses de 1,5 cm (½ po)

Accompagnement
Pommes de terre rissolées (p. 63)

La brouillade

Dans un bol, mélangez les œufs et la crème. Assaisonnez. ∞ Versez la préparation dans une poêle et partez la cuisson à feu doux. À l'aide d'un fouet, fouettez constamment jusqu'à ce que le mélange épaississe et retirez aussitôt du feu. Même si les œufs ne sont pas complètement cuits, la chaleur de la poêle finira la cuisson. Ne soyez pas étonné d'avoir à fouetter plusieurs minutes puisqu'en incorporant de l'air, vous empêchez les œufs de cuire rapidement, ce qui rendra la brouillade onctueuse et lisse. ∞ Avant de servir, parsemez de ciboulette et rectifiez l'assaisonnement.

Le bacon

Dans une petite poêle antiadhésive non chauffée, déposez les tranches de bacon sans corps gras. ∞ Débutez la cuisson à feu moyen et lorsqu'un crépitement se fait entendre, baissez-le à feu doux. Faites cuire les tranches d'un côté quelques minutes pour les rendre croustillantes et retournez-les ensuite pour quelques minutes de plus. ∞ Déposez le bacon sur un essuie-tout pour en retirer l'excédent de gras et servez.

Pommes de terre rissolées

**2 pommes de terre
Yukon Gold, en dés**

3 c. à soupe d'huile d'olive

**3 branches de thym
effeuillées**

**1 branche de romarin
effeuillée**

**½ petit oignon
finement haché**

1 gousse d'ail hachée

**Gros sel de mer
et poivre du moulin**

Dans une grande poêle, mélangez les pommes de terre, l'huile d'olive, le thym, le romarin et le gros sel. ✆ Chauffez la poêle et laissez cuire à feu moyen, de 15 à 20 minutes, en retournant les pommes de terre de temps à autre pour leur permettre de dorer uniformément. ✆ Cinq minutes avant la fin de la cuisson, ajoutez les oignons et l'ail. Rectifiez l'assaisonnement.

Bagel-œuf — 2 personnes —

**1 bagel aux graines
de sésame**

2 c. à soupe de beurre

2 œufs

6 tranches de bacon cuites

**250 ml (1 tasse) de fromage
(cheddar, mozzarella,
gruyère) râpé**

Sel et poivre du moulin

Préchauffez le four à 200 °C (400 °F). ∞ Coupez le bagel en deux sur le sens de l'épaisseur. ∞ Dans une poêle, à feu modéré, faites mousser le beurre et déposez les demi-bagels côté mie. Laissez dorer quelques minutes. ∞ Cassez un œuf dans chaque trou et couvrir de trois tranches de bacon. Parsemez le fromage et faites griller au four 5 minutes comme une pizza. ∞ Salez et poivrez.

N. B. Le trou dans le bagel doit être suffisamment grand pour y déposer l'œuf. L'agrandir, si nécessaire.

Variante
Remplacez le bacon par une tranche de jambon ou même par un restant de rôti de porc.

VOICI UNE FAÇON ORIGINALE DE SERVIR
DES FRAISES LE MATIN. C'EST BEAU, C'EST FRAIS.
CETTE SALADE PEUT AUSSI FAIRE FIGURE
D'ENTRÉE OU DE DESSERT.

Salade de fraises et tomates aux herbes fraîches — 2 personnes —

20 tomates cerises rouges

1 casseau de fraises mûres

8 feuilles de basilic frais

10-12 feuilles de menthe

Zeste de 1 citron

1 c. à soupe de jus de citron

3 c. à soupe d'huile d'olive

Poivre du moulin

Coupez en deux les tomates et les fraises, ou en quartiers si elles sont grosses. Hachez grossièrement les herbes. ∞ Dans un saladier, réunissez les tomates, les fraises, les herbes et les autres ingrédients. Mélangez, poivrez et dégustez.

Truc
Faites dégorger les demi-tomates. Mettez-les dans une passoire, au-dessus d'un plat pour recueillir l'eau de végétation, salez et laissez reposer pendant 10 minutes. Conservez le jus obtenu. Vous pourrez l'utiliser en remplacement du vinaigre dans une de vos prochaines vinaigrettes. Essayez !

QUI N'AIME PAS LES CRÊPES LE MATIN ?
PERSONNELLEMENT, J'AI UN FAIBLE POUR LE CÔTÉ
PLUS MOELLEUX DES PANCAKES, QUE J'EMPILE
ET RECOUVRE DE BANANES, DE NOIX ET
DE YOGOURT À L'ÉRABLE.

Mini-pancakes aux petits fruits, yogourt à l'érable — 8 à 10 petites crêpes —

375 ml (1 ½ tasse) de farine

1 pincée de sel

2 œufs

375 ml (1 ½ tasse) de lait

3 c. à soupe de sirop d'érable

2 c. à soupe d'huile végétale

1 c. à soupe de poudre à pâte

Huile végétale pour la cuisson

500 ml (2 tasses) de petits fruits de saison (framboises, bleuets, cerises)

⸻

Accompagnement
Yogourt à l'érable
(ci-dessous)

Dans un grand bol, combinez la farine et le sel. Faites un puits au centre et versez-y les œufs. Fouettez légèrement en incorporant graduellement le lait à la farine. Pour éviter la formation de grumeaux, il est important de ne pas verser le lait d'un coup. ∞ Lorsque la pâte est lisse et homogène, ajoutez le sirop d'érable et l'huile végétale. ∞ Laissez reposer le mélange environ 1 heure au réfrigérateur avant d'incorporer la poudre à pâte. ∞ Dans une petite poêle antiadhésive, faites chauffer à feu modéré-élevé 2 cuillerées d'huile végétale. Versez l'équivalent de 80 ml (1/3 tasse) du mélange et parsemez uniformément de petits fruits. ∞ Lorsque la crêpe commence à faire des bulles à la surface, retournez-la. Poursuivez la cuisson 1 minute et retirez. ∞ Répétez jusqu'à épuisement du mélange. Pour garder vos crêpes au chaud, empilez-les et placez-les au four à très basse température.

Variante
Les petits fruits peuvent aussi être mélangés à la préparation.

Yogourt à l'érable

250 ml (1 tasse) de yogourt nature 10 %

Zeste d'une orange

3 c. à soupe de sirop d'érable

Mélangez tous les ingrédients. Ce yogourt se sert à toutes les sauces !

LUI MIJOTER UN SORT

LUI MIJOTER UN SORT

 Nos grands-mères avaient l'habitude de dire qu'on garde un homme en le tenant par le ventre. Comme elles avaient raison ! Seulement, aujourd'hui, les hommes peuvent en dire autant des femmes. Les Québécois sont désormais de fins cuistots qui manient la cuisine comme une arme de séduction massive. Les voir bondir autour du comptoir avec une aisance de félin, ajoutant un zeste de citron ici, une

LUI MIJOTER UN SORT

pincée d'herbes là, nous les rend plus qu'appétissants. Si, en plus, ils nous mijotent des plats à se rouler par terre, nous ne pourrons plus nous passer d'eux! Qui résisterait aux saveurs exotiques du cari et du coco, à la finesse des huîtres aphrodisiaques, à la douceur des palourdes faisant contrepoids à la fermeté du porc, au croustillant du feuilleté aux poires et gingembre avec ce soupçon d'enfance qu'est le Nutella… Pas moi!

AVEC CE SHOOTER, ON SE RAFRAÎCHIT
TOUT EN RÉCHAUFFANT L'AMBIANCE.

Shooter de pastèque à la tequila — 30 bouchées —

500 ml (2 tasses) de pastèque épépinée, en cubes de 2 cm (¾ po)

250 ml (1 tasse) de tequila

Quartiers de lime

Fleur de sel

Dans un contenant hermétique, recouvrez les cubes de pastèque de tequila. ∞ Laissez macérer au réfrigérateur au moins 3 heures en retournant les cubes à quelques reprises. ∞ Une trentaine de minutes avant de servir, mettez le contenant au congélateur.

Servir
Placez les cubes de pastèque sur une grande assiette avec la lime et un petit bol de fleur de sel. Le principe étant à l'image d'un shooter de tequila, arrosez les cubes de jus de lime et saupoudrez de fleur de sel avant de n'en faire qu'une seule bouchée !

J'AIME BEAUCOUP LE CÔTÉ AIGRE-DOUX
DE CETTE SAUCE TRÈS SIMPLE À FAIRE.

Crevettes, sauce aux prunes épicée — 2 personnes —

2 c. à soupe d'huile d'olive

8 grosses crevettes
non décortiquées

Sauce aux prunes épicée
(ci-dessous)

Sel et poivre du moulin

Dans une poêle, faites chauffer l'huile. ⌇ Salez, poivrez généreusement les crevettes et faites cuire 2 minutes de chaque côté. ⌇ Servez immédiatement avec la sauce aux prunes épicée.

Sauce aux prunes épicée

1 tomate rouge bien
mûre coupée en 2

3 grains de poivre
ou 1 poivre long

1 anis étoilé

2 gousses de cardamome

4 prunes noires mûres avec
la peau, en petits quartiers

1 petit oignon en quartiers

2 c. à soupe de miel

3 c. à soupe de bouillon
de poulet ou d'eau

1 c. à soupe de pâte
de tomates

Sambal Oelek ou Tabasco,
au goût

Jus de 1 citron

Sel

Préchauffez le four à 200 °C (400 °F). ⌇ Faites cuire les demi-tomates au four 15 minutes ou jusqu'à ce qu'elles soient ramollies. Réservez. ⌇ Dans un coton à fromage, déposez les épices, refermez et ficelez. ⌇ Dans une petite casserole, faites cuire à feu modéré-élevé les prunes, l'oignon, le miel, le bouillon avec le balluchon d'épices pendant 20 minutes. ⌇ Retirez les épices et passez la préparation au robot culinaire avec la pâte de tomates, un soupçon de piment et le jus de citron. Transférez la préparation dans un petit bol. ⌇ Retirez la peau de la tomate, hachez la chair grossièrement et ajoutez-la à la sauce aux prunes. ⌇ Goûtez et salez à la toute fin.

ON DIT QUE LES HUÎTRES SONT APHRODISIAQUES,
MAIS POUR MOI ELLES RESTENT ASSOCIÉES
À DES SOUVENIRS FAMILIAUX DE CHASSE DANS
LE PARC DE LA MASTIGOUCHE. DÉSOLÉ...

Le bar à huîtres — 2 personnes —

2 douzaines d'huîtres*

Glace concassée ou gros sel

————— ❦ —————

*** Les petites huîtres ont ma
préférence, spécialement les
Lucky lime et les Pickel point.**

————— ❦ —————

Vinaigrette de grenade

**4 c. à soupe de vinaigre
de grenade**

**1 petite échalote
française ciselée**

Un filet d'huile d'olive

1 grenade, grains défaits

————— ❦ —————

Sauce asiatique à la lime

4 c. à soupe de jus de lime

**1 c. à soupe de sauce
de poisson (Nuoc Nam)**

**1 c. à soupe
de gingembre râpé**

**Quelques feuilles
de coriandre hachées**

Lavez les huîtres à grande eau. ☞ À l'aide d'un petit couteau, ouvrez-les. Jetez le liquide contenu dans la coquille, car l'huître en reproduira rapidement. Glissez le couteau en dessous du mollusque afin de le détacher de sa coquille et éliminez les éclats de coquilles et les saletés. ☞ Déposez-les sur un lit de glace ou de gros sel. Il faut savoir que les huîtres sont bien meilleures froides, veillez donc à ne pas les laisser trop longtemps à la température ambiante.

Garniture
Mélangez les ingrédients des condiments suggérés et servez en accompagnement.

Variantes
Dans de petits contenants, selon votre goût :
– Quartiers d'agrumes (ou jus d'agrumes frais)
– Dés de pommes vertes légèrement citronnés
– Oignons verts émincés (ou ciboulette)
– Brunoise de poivron rouge et piment fort

CETTE SOUPE PRÊTE EN QUELQUES MINUTES EST
DÉLICIEUSE, BELLE ET CROQUANTE. ON PEUT AUSSI
TRÈS BIEN REMPLACER LE POULET PAR UN FRUIT
DE MER OU UN POISSON.

Soupe-repas cari et coco — 2 personnes —

2 c. à soupe
de poudre de cari

2 gousses d'ail hachées

1 c. à soupe
de gingembre râpé

4 c. à soupe d'huile d'olive

1 poitrine de poulet

½ oignon émincé

750 ml (3 tasses)
de bouillon de poulet

80 ml (⅓ tasse) de lait
de coco non sucré
ou de crème 15 %

½ boîte de pois chiches
égouttés, rincés

1 petite carotte en julienne

1 pomme verte en julienne

2 c. à soupe
de coriandre ciselée

Jus de 1 lime

Sel et poivre du moulin

Préchauffez le four à 190 °C (375 °F). ☞ Dans un mortier ou un bol, écrasez le cari, l'ail et le gingembre ensemble. Versez 3 c. soupe d'huile d'olive et mélangez jusqu'à l'obtention d'une pâte. ☞ Enrobez le poulet de la moitié de cette pâte. Dans une poêle striée, faites rapidement dorer le poulet des deux côtés. Enfournez ou transférez dans un plat allant au four et faites cuire de 10 à 12 minutes. Réservez. ☞ Dans une casserole, chauffez un peu d'huile d'olive et faites revenir l'oignon. Ajoutez le reste de la pâte de cari et poursuivez la cuisson quelques minutes. ☞ Versez le bouillon de poulet, amenez à ébullition et laissez mijoter 10 minutes avant d'incorporer le lait de coco, les pois chiches, la carotte et la pomme. Laissez mijoter quelques minutes jusqu'à ce que les carottes soient cuites. ☞ Rectifiez l'assaisonnement. Versez dans des bols de service. Détaillez le poulet en fines tranches ou encore en cubes et répartissez-les sur les soupes. Parsemez de coriandre, arrosez de jus de lime et d'un mince filet d'huile d'olive, si désiré.

C'EST UNE DE MES RECETTES PRÉFÉRÉES.
IL S'AGIT DE LA VERSION PORTUGAISE
DU SURF AND TURF.

Porc et palourdes : un classique — 2 personnes —

500 g (1 lb) de porc (filet ou longe)

2 gousses d'ail coupées en 2

Sambal Oelek ou Tabasco, au goût

125 ml (½ tasse) de vin blanc sec

2-3 feuilles de laurier

Un filet d'huile d'olive

¼ d'un oignon rouge émincé

2 tomates, en quartiers

1 c. à soupe de pâte de tomates

700 g (1 ½ lb) de palourdes fraîches

2 c. à soupe de coriandre ciselée

2 c. à soupe de persil italien ciselé

Une pincée de paprika fumé (pimentón)

Jus de 1 lime

Sel et poivre du moulin

Coupez le porc en cubes d'environ 2,5 cm (1 po). ∞ Dans un saladier, mélangez l'ail, le piment, le vin blanc et le laurier. Ajoutez les cubes de porc et laissez mariner au réfrigérateur de 6 à 12 heures. ∞ Retirez le laurier, l'ail et les cubes de viande du liquide et réservez. Versez la marinade dans une petite casserole et laissez réduire de moitié à feu vif. Passez au tamis et réservez. ∞ Dans une poêle chaude et huilée, faites revenir le porc et l'ail 10 minutes. Assaisonnez. Ajoutez l'oignon et poursuivez la cuisson quelques minutes. ∞ Incorporez les tomates, la pâte de tomates et la marinade réduite. Laissez mijoter quelques minutes puis ajoutez les palourdes. Couvrez et laissez cuire à feu moyen-vif jusqu'à ce que les palourdes s'ouvrent, environ 6 minutes. Rectifiez l'assaisonnement. ∞ Avant de servir, parsemez d'herbes fraîches, saupoudrez de paprika fumé et arrosez de jus de lime.

Variante
Vous pouvez remplacer les palourdes fraîches par des palourdes en boîte, égouttées, que vous ajoutez à la toute fin.

LE RÉSULTAT FINAL RESSEMBLE À UNE PÂTISSERIE,
MAIS EN RÉALITÉ C'EST UN DESSERT PRÉPARÉ
EN UN CLIN D'ŒIL. POUR CEUX QUI VEULENT
ÉPATER SANS TROP D'EFFORT...

Feuilleté aux poires, gingembre et Nutella — 2 personnes —

Poires pochées et sirop de gingembre

375 ml (1 ½ tasse) d'eau

125 ml (½ tasse) de sucre

Jus de ½ citron

1 morceau de gingembre avec la peau de 4 cm (1 ½ po) finement émincé

2 poires (Bosc de préférence)

Montage

Pâte feuilletée du commerce ou pâte brisée

4 c. à soupe de tartinade aux noisettes (Nutella)

2 poires pochées, en dés

2 c. à soupe de sirop au gingembre

Les poires et le sirop

Dans une petite casserole, portez à ébullition l'eau avec le sucre, le jus de citron et le gingembre. Éteignez le feu et laissez refroidir. ∞ Pelez les poires et plongez-les dans le liquide refroidi. Pour éviter que les poires ne flottent, placez au-dessus un papier parchemin ou encore un linge propre. À feu doux, faites cuire à petits frémissements durant 10 minutes. Éteignez et laissez les poires refroidir dans le liquide. ∞ Pour obtenir le sirop, retirez les poires et laissez réduire des deux tiers, à feu doux, jusqu'à ce que la consistance soit celle du miel. Le gingembre est confit lorsqu'il devient translucide. Réservez jusqu'au moment de servir.

Le montage

Préchauffez le four à 200 °C (400 °F). ∞ Étalez la pâte et taillez deux rectangles de 8 x 13 cm (3 x 5 po). À l'aide d'une fourchette, piquez la surface de la pâte pour éviter qu'elle ne gonfle durant la cuisson. Déposez les 2 rectangles sur une plaque à cuisson et enfournez une dizaine de minutes. ∞ Tartinez chaque feuilleté de tartinade aux noisettes. Disposez les dés de poires et arrosez de sirop avec les morceaux de gingembre confit.

BRISER LA ROUTINE

BRISER LA ROUTINE

Le boulot, le stress, les obligations, les courses, les devoirs du petit... Nous vivons toutes voiles dehors, à un rythme fou. Les pièges sont nombreux pour les couples qui n'ont plus le temps de partager leur temps. Dès son enfance, assis chaque soir à la joyeuse tablée familiale, le nez humant un plat fumant, Louis-François a vite compris l'importance de ce moment privilégié qui délie aussi bien les langues que les papilles. Un bonheur

BRISER LA ROUTINE

simple et partagé agissant comme un baume sur les corps et les cœurs essoufflés. Mais comment éviter l'immuable steak, blé d'Inde, patates ? Rien de plus facile. Dans ces pages, Louis-François nous livre le secret de son pâté chinois de luxe au canard confit. Lire la recette met déjà l'eau à la bouche, la réaliser donne à une soirée ordinaire un air de gala. Voici donc des repas qui raviveront la flamme que le méchant quotidien souffle à tout moment.

L'INSPIRATION DE CE PLAT ME VIENT DU
RESTAURANT LE PETIT ITALIEN SUR LA RUE BERNARD,
À MONTRÉAL, OÙ JE SUIS ALLÉ SOUVENT MANGER À DEUX.
JE TROUVE QUE CES PÂTES ONT VRAIMENT LE GOÛT
D'UN SOUPER EN TÊTE-À-TÊTE.

Pâtes au poulet, prosciutto et raisins — 2 personnes —

1 poitrine de poulet

Huile d'olive

5 c. à soupe de pignons

1 gousse d'ail finement hachée

5 c. à soupe de vin blanc

2 c. à soupe de pâte de tomates

180 ml (¾ tasse) de crème 15 % champêtre

250 g (8 oz) de pâtes longues cuites al dente

125 ml (½ tasse) de raisins rouges coupés en 2

4 tranches fines de prosciutto

Quelques feuilles de basilic

4 c. à soupe de parmesan en copeaux

Sel et poivre du moulin

Coupez le poulet en cubes de 2 cm (¾ po). Salez et poivrez généreusement les cubes de poulet. ∞ Dans une grande poêle, avec un peu d'huile d'olive, faites-les revenir de tous les côtés, environ 5 minutes, à feu élevé. Lorsque le poulet commence à dorer, incorporez les pignons, l'ail et poursuivez la cuisson 2 minutes. ∞ Déglacez avec le vin blanc et, à l'aide d'une cuillère en bois, grattez le fond de la poêle pour aller chercher un maximum de saveurs. Ajoutez la pâte de tomates, la crème et laissez cuire 3 minutes, à feu moyen. ∞ Incorporez les pâtes cuites dans la sauce et mélangez pour bien les enrober. ∞ Au moment de servir, garnissez avec les raisins, les tranches de prosciutto grossièrement déchirées, le basilic et les copeaux de parmesan.

Trucs

– Le secret de la cuisson des pâtes : beaucoup d'eau ! Au minimum 1 l (4 tasses) par 100 g (3 ½ oz) de pâtes et 1 c. à thé de sel par litre d'eau que l'on ajoute au moment où elle commence à frémir pour accélérer l'ébullition.

– Conservez toujours un peu d'eau de cuisson. Cette eau « au goût de pâtes » permet de bien lier la sauce, surtout si elle est très épaisse, et d'enrober parfaitement les pâtes.

CETTE RECETTE S'ADAPTE AUX LÉGUMES
DE SAISON. L'HIVER, ON PEUT Y METTRE DES
COURGES ET AUTRES LÉGUMES-RACINES. EN TOUT
TEMPS, CELA RESTE UN PLAT AUSSI LÉGER
QUE NOTRE CŒUR AMOUREUX.

Tarte feuilletée aux légumes — 2 personnes —

Légumes grillés

4 c. à soupe d'huile d'olive

Quelques branches de rapinis (tiges et bouquets)

½ bulbe de fenouil en tranches de 0,5 cm (¼ po)

1 courgette en lamelles de 3 mm (⅛ po)

½ oignon espagnol en rondelles de 0,5 cm (¼ po)

2 petites tomates en rondelles de 1 cm (⅜ po)

Sel et poivre du moulin

Montage

Beurre

1 boule de pâte feuilletée

3 c. à soupe d'huile d'olive

1 c. à soupe de vinaigre balsamique âgé

1 petite boule de mozzarella di bufala à la température ambiante

8 feuilles de basilic

Sel et poivre du moulin

Les légumes grillés

Huilez les grilles du barbecue ou une poêle striée. ❧ Retirez les feuilles à la base des tiges des rapinis. ❧ Faites griller au barbecue ou sur la cuisinière les légumes, l'un après l'autre, en surveillant leur cuisson. Assaisonnez-les en cours de cuisson et ajoutez un filet d'huile, au besoin. ❧ Réservez les légumes cuits jusqu'au montage de la tarte.

Le montage

Préchauffez le four à 200 °C (400 °F). ❧ Beurrez un moule rond (idéalement à fond amovible) de 23 cm (9 po) de diamètre (ou tout autre moule carré). Étalez la pâte et placez-la dans le fond du moule. Coupez les excédents de pâte au couteau. ❧ À l'aide d'une fourchette, piquez toute la surface de la pâte et enfournez de 10 à 15 minutes. Vérifiez la pâte tout au long de la cuisson pour qu'elle ne gonfle pas trop (si c'est le cas, piquez-la de nouveau). ❧ Retirez du four et disposez uniformément les légumes grillés, assaisonnez et arrosez de l'huile et du vinaigre. Remettez la tarte au four encore 5 minutes. ❧ Décollez délicatement la tarte et sortez-la du moule. Coupez 2 parts. Avec vos doigts, divisez la boule de mozzarella en deux et mettez un morceau sur chaque part avec quelques feuilles de basilic frais. Un coup de poivre du moulin et servez.

JE SUIS UN PÊCHEUR. POUR MOI, CE PLAT
À PARTAGER EST SYNONYME D'UNE FIN DE
SEMAINE EN AMOUREUX SUR LE BORD D'UN LAC.
MES PASSIONS RÉUNIES.

Truite avec fenouil et endive caramélisés — 2 personnes —

Huile d'olive

1 filet de truite avec la peau
de 360 g (¾ lb)

Sel et poivre du moulin

⸺⸺⸺⸺

Accompagnement
Salade de fenouil et endive
caramélisés (ci-dessous)

2 tranches minces
de prosciutto

Quelques copeaux
de parmesan

Réchauffez un côté du barbecue à intensité moyenne. ☙ Huilez le poisson, salez et poivrez. Déposez le filet côté peau sur la grille et faites cuire 2 minutes. ☙ Arrêtez le barbecue, transférez la truite sur la grille du haut, fermez le couvercle et laissez reposer 5 minutes. La chaleur du barbecue suffira à finir la cuisson. ☙ Au moment de servir, disposez la truite dans un plat de service avec les légumes, le prosciutto grossièrement déchiqueté et les copeaux de parmesan.

N. B. Pour la cuisson de la truite au four, c'est maximum 12 minutes à 200 °C (400 °F).

Salade de fenouil et endive caramélisés

1 gros bulbe de fenouil

1 endive

1 oignon Vidalia

3 c. à soupe d'huile d'olive

3 c. à soupe de miel

Sel et poivre du moulin

Préchauffez le four à 200 °C (400 °F). ☙ Coupez le fenouil en tranches de 1 cm (³⁄₈ po), l'endive en quatre sur la longueur et l'oignon en quartiers. ☙ Dans un saladier, mélangez l'huile et le miel, incorporez les légumes et mélangez délicatement afin de bien les enrober. ☙ Déposez-les sur une plaque à cuisson et enfournez environ 20 minutes ou jusqu'à ce qu'ils soient bien caramélisés.

VOICI MON PÂTÉ CHINOIS DES GRANDS SOIRS.

Canard confit, tombée de poireau et purée de céleri-rave — 2 personnes —

½ **gros céleri-rave pelé, en gros cubes**

3 c. à soupe de beurre

2 c. à soupe de lait

1 poireau lavé, en rondelles

1 filet d'huile d'olive

2 cuisses de canard confites réchauffées, effilochées

Quelques morceaux de fromage cheddar en grains

Sel et poivre du moulin

Plongez dans une eau bouillante salée les cubes de céleri-rave et faites cuire 25 minutes ou jusqu'à ce qu'une lame de couteau transperce facilement la chair. Égouttez. ☞ Réduisez les légumes en purée avec 2 c. à soupe de beurre et le lait au robot culinaire ou avec un mélangeur à main. Assaisonnez et réservez. ☞ Dans une grande poêle, à feu doux, faites suer les poireaux dans 1 c. à soupe de beurre et l'huile jusqu'à ce qu'ils deviennent translucides, environ 15 minutes. Salez et poivrez. ☞ Allumez le gril du four. ☞ Déposez sur une plaque à cuisson 2 emporte-pièces. Couvrez le fond avec le canard effiloché et, en pressant légèrement, répartissez le poireau au-dessus, puis finissez avec la purée de céleri-rave parsemée de grains de fromage. ☞ Placez sous le gril 3 minutes. Démoulez avec précaution et servez immédiatement.

Variantes
En remplacement du canard, toutes les viandes confites (pintade, agneau) ou les viandes braisées comme un restant de jarret d'agneau ou de rôti de palette.

J'APPELLE CE TYPE DE RECETTE UNE
« ASSURANCE GOÛT ». GRÂCE À LA SAUCISSE,
LE POULET RESTE TENDRE, JUTEUX ET IMPRÉGNÉ
DE SAVEUR. PERSONNE NE PEUT Y RÉSISTER.

Poulet farci à la saucisse, salade de petits pois et feta — 2 personnes —

**2 saucisses piquantes
ou douces**

**2 poitrines de poulet avec
peau et os**

Huile d'olive

**4 échalotes françaises
coupées en 2**

**125 ml (½ tasse)
de vin blanc sec**

**125 ml (½ tasse)
de bouillon de poulet**

Sel et poivre du moulin

———∞∞∞———

Accompagnement
**Salade de petits pois et feta
(ci-dessous)**

Préchauffez le four à 200 °C (400 °F). ∞ Retirez la membrane recouvrant les saucisses et défaites la chair à la fourchette. Désossez les poitrines et soulevez délicatement une partie de la peau pour répartir uniformément la saucisse en dessous. Salez et poivrez généreusement la peau du poulet. ∞ Dans une poêle très chaude et légèrement huilée, faites rôtir les poitrines côté peau, à feu vif. Lorsque le poulet a atteint une belle coloration, ajoutez les échalotes et retournez les poitrines côté chair. Poursuivez la cuisson quelques minutes. ∞ Déglacez avec les liquides et enfournez de 10 à 12 minutes.

N. B. Vous pouvez aussi utiliser des poitrines sans peau. Il vous suffira de les entailler latéralement pour les farcir et de les refermer avec un cure-dent.

Salade de petits pois et feta

**375 ml (1 ½ tasse)
de pois frais ou surgelés**

4 radis finement tranchés

**7-8 feuilles
de menthe déchirées**

Zeste et jus de ½ citron

4 c. à soupe d'huile d'olive

**125 ml (½ tasse)
de feta de chèvre émietté**

Sel et poivre du moulin

Si vous prenez des petits pois frais, faites-les blanchir 7-8 minutes ; les pois surgelés s'utilisent à la température ambiante. ∞ Dans un saladier, mélangez tous les ingrédients et réservez jusqu'au moment de servir. Goûtez avant d'ajouter du sel, car ce fromage est généralement très salé.

UNE VARIANTE ORIGINALE
DE LA TARTE AU CITRON,
TOUT SIMPLEMENT.

Tarte au pamplemousse rose — 4 parts —

Pâte sablée

**125 ml (½ tasse) de beurre
à la température ambiante**

180 ml (¾ tasse) de sucre

1 pincée de sel

430 ml (1 ¾ tasse) de farine

Zeste de 1 pamplemousse

2-4 c. à soupe d'eau froide

⸺ ✿ ⸺

Garniture

**Appareil au pamplemousse
(p. 103)**

Déposez tous les ingrédients de la pâte, à l'exception de l'eau, dans le récipient du robot culinaire et actionnez par touches successives jusqu'à l'obtention d'une texture sablée. Versez l'eau en filet jusqu'à ce qu'une boule commence à se former. ☜ Retirez la pâte. Pétrissez-la juste ce qu'il faut pour qu'elle se tienne et formez un boudin. Farinez et enveloppez la pâte dans une pellicule plastique. Réfrigérez au moins 30 minutes. Vous pouvez faire la pâte la veille, par contre, vous devrez la sortir du réfrigérateur 10 minutes avant de la travailler afin qu'elle soit plus malléable. ☜ Préchauffez le four à 190 °C (375 °F). ☜ Tranchez la pâte sur le sens de la longueur afin d'obtenir des rubans de pâtes. Beurrez un moule à tarte à fond amovible de 23 cm (9 po) de diamètre ou 4 tartelettes individuelles. Répartissez les rubans de pâte au fond et égalisez la croûte avec vos doigts. Enfournez de 10 à 15 minutes.

N.B. Le truc pour empêcher votre pâte à tarte de gonfler durant la cuisson : la couvrir de papier parchemin et éparpiller des légumineuses sèches (pois chiches, haricots blancs, lentilles) ou même du riz. Ainsi la pâte cuit et reste bien en place !

Appareil au pamplemousse

1 c. à soupe de
gélatine neutre

250 ml (1 tasse) de jus de
pamplemousse rose
fraîchement pressé

Zeste de 1 pamplemousse
rose

1 boîte de lait
condensé sucré

½ c. à thé d'extrait
de vanille

125 ml (½ tasse) de
crème 35 %

8 suprêmes
d'un pamplemousse
rose coupé à vif

Dans un peu d'eau froide, laissez gonfler la gélatine 3 minutes. ✆ Faites chauffer au micro-ondes le jus de pamplemousse et le zeste 2 minutes. Ajoutez la gélatine au mélange chaud et remuez pour dissoudre la gélatine. Laissez refroidir, ajoutez le lait condensé et mélangez. ✆ À l'aide d'un batteur électrique ou d'un fouet, montez la crème avec la vanille. Incorporez la crème fouettée à la préparation au pamplemousse en pliant délicatement avec une spatule. ✆ Versez dans la croûte refroidie. Garnir de suprêmes de pamplemousse. ✆ Réfrigérez au moins 2 heures avant de servir.

MOTS DOUX DANS LA BOÎTE À LUNCH

MOTS DOUX
DANS LA BOÎTE
À LUNCH

Le pire moment, lorsque le cœur est pris, est celui, inéluctable, de la séparation. Mais il faut bien que, chaque matin, chacun vaque à ses occupations. Comment faire pour que notre amour ne nous oublie pas durant cette interminable journée passée au loin ? Et si l'on se glissait subrepticement dans sa boîte à lunch ? Non pas entre les tranches de cet éternel sandwich aux œufs pas de croûtes, mais plutôt sous la forme de délices vite

MOTS DOUX
DANS LA BOÎTE
À LUNCH

préparés et longuement savourés. Louis-François nous propose ici sa boîte à lunch de rêve : somptueux tataki de bœuf, sandwich vietnamien frais et croquant et autres grilled cheese décadents. Concoctées avec tendresse, ces recettes toutes simples ne manqueront pas de rappeler à l'autre l'étendue si vaste de votre amour. Non seulement il va adorer, mais il reviendra en courant à la maison pour en connaître la suite…

IL LUI SUFFIRA D'ARROSER LE TOUT DE LA VINAIGRETTE
QUE VOUS AUREZ PRIS SOIN DE LUI METTRE DE CÔTÉ
ET LA PUISSANCE DU BŒUF ET DU CRESSON, ALLIÉE
À LA FRAÎCHEUR DES BLEUETS QUI ÉCLATENT SOUS
LA DENT, FERA LE TRAVAIL !

Tataki de bœuf, salade de cresson et bleuets — 2 personnes —

225 g (½ lb) de bœuf (filet, contre-filet ou bavette)

Huile d'olive

Sel et poivre du moulin

———

Accompagnement
**Salade de cresson et bleuets
(p. 111)**

Coupez la pièce de bœuf en deux dans le sens des fibres de la viande afin d'obtenir 2 morceaux plus ou moins carrés. Salez et poivrez. ∾ Dans une poêle très chaude et légèrement huilée, faites saisir les morceaux de bœuf environ 30 secondes sur chacun des 4 côtés afin de bien les colorer. ∾ Réservez sur une assiette au réfrigérateur.

Le montage
Au moment de servir, taillez des tranches fines dans les morceaux de bœuf refroidis. Disposez les tranches sur le cresson frais garni de bleuets et de graines de tournesol. Saupoudrez de fleur de sel, de poivre et arrosez de la vinaigrette avant de déguster.

111 >>

Salade de cresson et bleuets

**500 ml (2 tasses)
de cresson frais**

**125 ml (½ tasse)
de bleuets frais**

**80 ml (⅓ tasse)
de graines de tournesol**

Vinaigrette

**1 c. à soupe
de vinaigre de riz**

1 c. à thé de sucre

**1 c. à soupe
d'huile de sésame**

1 c. à soupe d'huile d'olive

1 c. à soupe de tamari

Poivre du moulin

Lavez le cresson, les bleuets et bien les essorer. ✆ Faites griller quelques minutes les graines de tournesol.

La vinaigrette
Mettez tous les ingrédients dans un bocal hermétique. Assaisonnez de poivre, mais n'ajoutez pas de sel, car le tamari est très salé. Mettez de côté. ✆ Brassez vigoureusement avant d'utiliser.

Variantes
Cette vinaigrette convient aussi bien avec de la roquette, de jeunes épinards ou de la laitue frisée.

CETTE SALADE, C'EST LE SOUVENIR D'UN BEAU
MOMENT D'HIVER PASSÉ AVEC MA BLONDE. LE GOÛT
DES FIGUES CARAMÉLISÉES, DES NOISETTES TORRÉFIÉES
ET DU VIEUX BALSAMIQUE A QUELQUE CHOSE
DE TRÈS RÉCONFORTANT.

Canard confit et figues séchées en salade — 2 personnes —

2 c. à soupe de beurre

1 c. à soupe d'huile d'olive

2 échalotes françaises
finement émincées

125 ml (½ tasse)
de noisettes, sans peau,
en moitiés

4 figues séchées
coupées en 4

2 cuisses de canard
confit effilochées

1 petite carotte en julienne

500 ml (2 tasses)
de petite roquette

250 ml (1 tasse) de croûtons
au beurre (ci-dessous)

Sel et poivre du moulin

Vinaigrette

2 c. à soupe de vinaigre
balsamique

5 c. à soupe d'huile d'olive

Sel et poivre du moulin

Dans une petite poêle, mettez le beurre, l'huile d'olive et faites dorer, à feu modéré, les échalotes, les noisettes et les figues. Assaisonnez et réservez. ✆ Dans 2 contenants hermétiques, répartissez également tous les ingrédients. ✆ Mélangez dans une tasse à mesurer les ingrédients de la vinaigrette et versez dans 2 petits bocaux hermétiques. ✆ À l'heure du repas, il ne vous restera qu'à arroser de la vinaigrette !

Croûtons au beurre

4 c. à soupe de beurre salé

250 ml (1 tasse) de pain
de miche grossièrement
déchiré

Dans une poêle, faites fondre le beurre à feu doux, ajoutez les morceaux de pain et faites-les dorer lentement jusqu'à ce qu'ils deviennent croustillants. Si en cours de cuisson, vous voyez que tout le beurre a été absorbé, rajoutez-en !

JE SUIS UN ADEPTE DES SAUCES AU YOGOURT.
NON SEULEMENT CELA AJOUTE DE LA FRAÎCHEUR,
MAIS C'EST UNE EXCELLENTE FAÇON SANTÉ DE
REMPLACER LA TRADITIONNELLE MAYONNAISE.

Banh mi vietnamien — 2 sandwichs —

1 concombre libanais

1 petite carotte

2 c. à soupe de mayonnaise
ou 3 c. à soupe de
yogourt 10 %

Zeste et jus de ½ lime

1 soupçon de piment
(Sambal Oelek ou Tabasco)

1 c. à thé d'huile de sésame

2 pains naan du commerce

200 g (7 oz) de poulet rôti,
en morceaux

Feuilles de coriandre

Menthe grossièrement
hachée

À l'aide d'un économe ou d'un épluche-légumes, coupez le concombre et la carotte en longs rubans fins. ∽ Dans un petit bol, mélangez la mayonnaise, le zeste, le jus de lime, le piment et l'huile de sésame pour obtenir une sauce homogène. ∽ Faites chauffer les pains naan au micro-ondes quelques secondes pour les ramollir légèrement. ∽ Badigeonnez généreusement les pains de sauce, garnissez uniformément des autres ingrédients et refermez. Vous aurez probablement besoin de ficeler les sandwichs ! ∽ Enveloppez-les dans un papier parchemin et gardez-les au frais jusqu'au repas. Vous pouvez aussi les réchauffer quelques secondes au micro-ondes avant de les déguster.

C'EST UN DE MES GRANDS CLASSIQUES.
NOUS EN MANGEONS AU MOINS UNE FOIS PAR
SEMAINE, À LA DEMANDE GÉNÉRALE DE MADAME.
PAS SI DIFFICILE FINALEMENT DE CONQUÉRIR
LE CŒUR D'UNE FEMME...

Grilled cheese au saucisson — 2 sandwichs —

2 c. à soupe de beurre

4 tranches de pain blanc de ménage

6 tranches de cheddar orange

24 tranches fines de saucisson sec calabrese*

---

* On peut utiliser n'importe quel saucisson sec, piquant ou doux, pourvu qu'il soit tranché très mince.

Préchauffez le four à 180 °C (375 °F). ➳ Beurrez généreusement chaque tranche de pain d'un côté. Sur le côté sans beurre, disposez une tranche de fromage et superposez 4 tranches de saucisson. Répétez deux autres fois l'opération. Refermez avec les deux autres tranches de pain, côté beurré à l'extérieur. ➳ Dans une grande poêle allant au four, commencez à feu doux la cuisson des sandwichs. Il est important de contrôler la cuisson, car une chaleur trop intense brûlerait les pains sans faire fondre le fromage. Faites griller de chaque côté environ 3 minutes puis enfournez de 5 à 8 minutes jusqu'à ce que le pain soit bien doré et le fromage fondu.

Servir
Accompagnez votre sandwich d'une salade de chou ou d'une salade frisée assaisonnée de jus de citron, huile d'olive, parmesan râpé et beaucoup de poivre du moulin.

Truc
Je dépose une marmite lourde ou un plat en fonte sur mon grilled cheese pendant la cuisson pour bien l'écraser.

Variantes
– Avec du pain aux noix, un cheddar âgé et du bacon (mon préféré)
– Du jambon, du gruyère et des tranches de pomme verte

J'AI TOUJOURS FAIT CETTE RECETTE AVEC LES
RESTES DE POISSON DE LA VEILLE. C'EST UN LUNCH
COMPLET ET SANTÉ, À MON AVIS, TRÈS FÉMININ.

Pumpernickel au saumon et légumes croustillants — 2 sandwichs —

225 g (½ lb) de filet
de saumon

Huile d'olive

2 tranches de pain
pumpernickel

20 haricots verts cuits

1 concombre libanais
finement tranché

½ petit oignon rouge,
en fines rondelles

6 c. à soupe
de yogourt nature

2 c. à soupe d'herbes
hachées (coriandre, aneth,
ciboulette, menthe)

Sel et poivre du moulin

Préchauffez le four à 200 °C (400 °F). ∽ Retirez la peau du filet de saumon. Badigeonnez-le d'huile d'olive, salez, poivrez et déposez-le sur une plaque de cuisson. Enfournez 8 minutes. Le saumon ne doit pas être trop cuit. Retirez du four et laissez tiédir. ∽ Répartissez également sur les tranches de pain, dans l'ordre, les haricots verts, le saumon, les tranches de concombre et les rondelles d'oignon. Emballez chaque tartine dans un papier d'aluminium. ∽ Dans un petit bol, mélangez le yogourt, 2 c. à soupe d'huile d'olive et les herbes. Salez et poivrez. Transférez dans deux bocaux hermétiques. ∽ Au moment de manger, verser le yogourt aux herbes sur les tartines.

N. B. Choisissez un pain dense (seigle, 12 grains) et faites-le griller avant le montage du sandwich.

MA VERSION HAUT DE GAMME
DU POUDING AU CHOCOLAT DE MON ENFANCE.
INTENSE ET DÉCADENT.

Crémeux de chocolat, noisettes et fleur de sel — 4 personnes —

**375 ml (1 ½ tasse)
de crème 35 %**

**200 g (7 oz) de chocolat
Toblerone haché
grossièrement**

2 jaunes d'œufs

**180 ml (¾ tasse)
de noisettes grillées**

Fleur de sel

Dans une petite casserole, faites chauffer 125 ml (½ tasse) de crème et versez-la sur le chocolat grossièrement haché pour le faire fondre complètement. ∞ Incorporez les jaunes d'œufs à la préparation. Laissez refroidir. ∞ Monter le reste de la crème en pics au batteur électrique et mélangez-la délicatement à la préparation chocolatée à l'aide d'une cuillère en bois.

Le montage
Mettez les noisettes au fond des bols de service avant de répartir la préparation chocolatée. Réfrigérez au moins 2 heures. Au moment de servir, saupoudrez de fleur de sel.

MERCI

Ce livre, je l'ai fait en pensant à tous les gens que j'aime.

La cuisine pour deux, testée et approuvée, c'est avec Patricia et, bien sûr, Benjamin. Et aussi maman et Louis-Éric ; mon papa ; Jean-Michel, mon petit frère ; Nathalie.

Impossible de ne pas renouveler ma gratitude à tous ceux avec qui j'ai travaillé en cuisine et qui m'ont formé. Carlos Ferreira, mon ami et un restaurateur inspirant.

L'équipe de l'émission *Cuisinez comme Louis* : Mélissa, Stéphane, Marc-André. Les gens d'Astral et de Canal Vie pour leur soutien : Chantal, Lyne, Danielle et Marie.

Et la gang des restaurants Simpléchic et Le Local : Pierre, Cedéric, Éric, Geneviève, François, Danielle, Claude, Charles-Emmanuel et Élyse.

Richard, mon *partner*... toute mon appréciation.

Et pour ce livre :
Merci à l'équipe Flammarion Québec pour le travail soutenu et à mon éditrice Louise Loiselle.

Mon bon chum, le photographe Christian Tremblay, qui s'implique totalement pour rendre mes recettes appétissantes. Merci aussi à Alexandra et Arthur pour leur compréhension.

À Sébastien et Karine pour le carré d'agneau.

Vanessa Quintal pour ses propos complices.

Toute ma reconnaissance à Marie-Ève Charron, mon ombre en cuisine, qui me devance souvent avec ses merveilleuses idées.

INDEX